D0421832

Merci qui ?

Profession vampire, 2007.

GUDULE

Merci qui ?

illustrations de Jacques Azam

ARCHIPOCHE *jeunesse*

Si vous souhaitez recevoir notre catalogue
et être tenu au courant de nos publications,
envoyez vos nom et adresse, en citant ce livre,
aux éditions Archipoche,
34, rue des Bourdonnais 75001 Paris.
Et, pour le Canada, à
Édipresse Inc., 945, avenue Beaumont,
Montréal, Québec, H3N 1W3.

ISBN 978-2-35287-087-6

Sommaire

1

SQUELETTES,
MORTS VIVANTS ET COMPAGNIE

Il devait être sept heures, sept heures et demie quand maman m'a lancé, de la cuisine :

— Sidonie, va acheter du pain, il n'en reste plus pour le dîner.

C'était l'hiver, il faisait nuit et il pleuvait. Alors, moi, forcément, j'ai râlé ! D'autant que je regardais mon feuilleton préféré à la télé.

— On n'a qu'à manger des biscottes, j'ai suggéré, sans quitter l'écran des yeux.

— Tu sais bien que papa a horreur des biscottes ! a riposté maman.

Et comme je soupirais avec agacement, elle a ajouté :

— Qui a terminé la baguette pour son goûter ?

Que vouliez-vous répondre à ça ? J'avais effectivement dévoré quatre tartines en rentrant de l'école. Est-ce ma faute, à moi, si la confiture de mamie est tellement bonne qu'une fois le pot entamé on est OBLIGÉ de le terminer ?

— Dépêche-toi ! m'a houspillée maman. Plus vite tu partiras, plus vite tu seras revenue !

En ronchonnant, j'ai enfilé mon imper, mes bottes, et j'ai plongé dans l'humidité obscure de la rue.

La boulangerie était à l'autre bout du village, c'est-à-dire un bon quart d'heure de marche aller-retour. D'ici là, mon feuilleton serait terminé. À moins que je ne prenne un raccourci, évidemment !

Sitôt pensé, sitôt fait. Au lieu d'emprunter la grand-rue, j'ai bifurqué à gauche, vers le cimetière. En le traversant, je gagnais au moins cinq minutes !

Quand j'ai poussé la grille, elle a grincé. Et une idée marrante m'a traversé l'esprit :

« Faudrait leur mettre de l'huile, à ces charnières : elles font un chahut à réveiller les morts ! »

J'ai pouffé de rire toute seule. J'adore ce genre de blague un peu débile. En classe, j'ai toujours mon petit succès quand je raconte l'histoire de la momie qui trébuche dans ses bandelettes, ou celle du squelette qui joue aux osselets.

« À propos de squelette… Je ferais une drôle de tête, tout de même, s'il y en avait un qui surgissait, tatatam ! devant mon nez ! »

Malgré moi, un petit frisson m'a parcouru le dos. On ne peut pas vraiment dire que j'avais peur, non, mais je n'étais pas franche-ment rassurée non plus. Entre les deux, voyez. Moitié moitié…

C'est à ce moment-là, très exactement, que *la chose* est arrivée. Comme je dépassais une vieille tombe envahie de mousse et d'herbes folles, une sorte de grincement a attiré mon attention. J'ai ralenti, j'ai scruté l'ombre… et (gloups !) *j'ai nettement vu la dalle se soulever*.

Par la fente, un regard étrange luisait dans l'ombre. Puis une main aux ongles crochus est apparue. Elle a repoussé la dalle comme on ouvre le couvercle d'une boîte à chaussures, et une silhouette s'est extirpée du trou.

J'ai pensé : « Sapristi, un mort vivant ! » et, d'un bond, je me suis cachée derrière un arbre pour observer sans être vue.

Le problème, c'est qu'il faisait sombre, mais sombre ! Pas le moindre rayon de lune. Pas de chance : pour une fois que je rencontrais quelqu'un d'intéressant ailleurs que sur l'écran de la télé… Mettez-vous à ma place : j'avais envie de savoir à quoi ça ressemblait en vrai, un mort vivant ! Dans les films d'horreur, ils sont toujours très moches : verdâtres, gluants, tout pourris. Mais dans la réalité, hein ? Ils étaient peut-être *encore pire* !

Je restais là, à scruter les ténèbres, quand un grondement de tonnerre a éclaté, suivi d'un grand éclair. Durant une fraction de seconde, j'ai aperçu le mort vivant en pleine lumière. Eh bien, ce n'en était pas un. C'était… je vous le donne en mille ! UN VAMPIRE ! La cape, les ailes de chauve-souris, le visage blafard et les grandes dents qui sortent des deux côtés de la bouche, tout y était !

« Quand je raconterai ça à Géo ! », je me suis dit.

Géo, c'était mon petit ami. Enfin… pas encore, mais presque. Il me plaisait, et j'étais sûre que je lui plaisais aussi. Quand on se regardait, des papillons frétillaient dans nos yeux. Ce genre de signe ne trompe pas !

Une fois dehors, le vampire s'est éloigné en battant l'air de ses grandes ailes. Du coup, j'ai oublié mon pain, la pluie qui tombait de plus en plus dru, et même *Hurlements d'angoisse*, le feuilleton qui m'attendait à la maison et dont je n'avais encore raté aucun des quatre-vingt-dix-huit épisodes. Les mains en porte-voix pour dominer le bruit de l'orage, j'ai crié :

— Ouh ouh ! Monsieur !

Le vampire, surpris, s'est arrêté net. Je lui ai fait signe :

— Ouh ouh ! Je suis là !

Illico, il est revenu sur ses pas et, sans même répondre à mon salut, s'est jeté sur moi pour me mordre.

2

PAUVRE ADRIEN-LASZLO !

Ça, ça ne m'a pas plu ! Pas plu du tout ! Par chance, j'avais de bons réflexes. Mentalement, j'ai remercié maman de m'avoir inscrite au judo et vlan ! d'une seule prise, j'ai expédié le vampire au tapis.

Je ne vous dis pas sa tête !

— Mon ventier ! il a beuglé, en tâtant le sol autour de lui.

— Votre quoi ?

Il a entrouvert la bouche pour me montrer ses gencives. Des gencives toutes nues, je précise.

— Ah ! votre dentier !

— Oui, le foc l'a évecté de ma bouffe ! On n'a pas ivée d'être auffi brufale !

(Traduction : « Oui, le choc l'a éjecté de ma bouche ! On n'a pas idée d'être aussi brutale ! » Vous aviez compris, je suppose ?)

Brutale, moi ? N'importe quoi ! Après m'avoir agressée sauvagement, voilà qu'il m'insultait, ce malpoli !

Je me suis plantée devant lui, les poings sur les hanches :

— Alors là, vous êtes gonflé ! Qui c'est qui a commencé, hein ?

— Ben quoi ? Faut bien que ve manve ! (Cette fois, vous traduisez vous-mêmes.)

— Ce n'est pas une raison ! Je ne suis pas de la nourriture !

Au même moment, un nouvel éclair a strié le ciel, illuminant le paysage.

— Il est là, votre dentier ! À côté du bac à fleurs !

Le vampire s'est précipité, et dans la nuit a résonné une plainte lugubre :

— Oh ! vut !

— Qu'est-ce qui se passe encore ?

— Il est caffé.

Il y avait effectivement non pas UN dentier, mais DEUX. Enfin… deux morceaux.

— Comment ve vais faire, moi, maintenant, pour fuffer le fang des vens ? a pleurniché le vampire.

Du coup, je me suis sentie un peu coupable.

— Ben… il n'y a qu'à aller chez le dentiste…

— Et avec quoi ve le payerais, efpèfe d'andouille ? Tu connais le prix des prothèves ventaires ?

— Vous n'avez pas d'argent ?

Il a levé les yeux au ciel comme maman quand je l'horripile.

— Ve te fignale que v'ai trois fents v'ans. De mon temps, les v'euros n'ecviftaient pas. Et de toute fafon, on n'emporte pas d'arvent dans fa tombe !

Logique.

— Euh… il y a peut-être moyen de le recoller nous-mêmes ? j'ai suggéré.

— Et où ve trouverais de la colle, hein ?

— J'en ai à la maison.

Le vampire s'est gratté le crâne.

— Fe n'est pas une mauvaive idée. Tu vas la ferfer ? Ve t'attends ifi.

Il en avait de bonnes, lui ! S'il s'imaginait que ma mère allait me laisser ressortir juste à l'heure du dîner !

— Ce soir, ce ne sera pas possible, j'ai dit. Demain, par contre…

Le vampire m'a lancé un regard effaré.

— Mais v'ai foif, moi ! Ve ne peux pas attendre vufqu'à demain !

Et, comme pour donner plus de poids à ses paroles, son ventre s'est mis à gargouiller.

Je ne pouvais pas le laisser comme ça. Après tout, c'était ma faute s'il se retrouvait dans cette pénible situation. Il faut savoir assumer ses responsabilités, dans la vie !

— D'accord, j'ai soupiré. Viens !

— Où fa ?

— D'abord à la boulangerie, puis chez moi.

Il a fait la grimace.

— Fa va faire des v'hiftoires, fi on te voit en compagnie d'un vampire !

Il n'avait pas tort. Dans une petite ville comme la nôtre, quand on a des fréquentations bizarres, mieux vaut être discret.

C'est là que j'ai eu une idée du tonnerre (ce qui n'a rien de surprenant, pendant un orage) :

— Ouvre tes ailes !

Il a obéi sans comprendre.

— Mouais, c'est bien ce que je pensais : tu ressembles à un parapluie. Si tu restes tout droit, les bras le long du corps, l'illusion est parfaite. Ne bouge plus !

Je l'ai empoigné ; il était léger comme une plume.

Voilà comment j'ai ramené Adrien-Laszlo à la maison, sans que ma mère soupçonne quoi que ce soit.

— Tiens, d'où vient ce parapluie ? a-t-elle demandé simplement.

Et moi, avec aplomb :

— C'est la boulangère qui me l'a prêté.

— Attention, je ne veux pas de traces mouillées sur le parquet !

Ce qu'il y a de génial avec les parents, c'est qu'on peut leur faire croire tout ce qu'on veut, du moment que ça a l'air normal.

— Pas de problème, m'man : je vais le mettre à égoutter sur le balcon de ma chambre.

Et voilà, le tour était joué !

3

« FOIF ! »

Sur le tube de colle, il était écrit : « *Laisser sécher trois heures.* »

— Bon, ben voilà, j'ai dit. Il ne nous reste plus qu'à attendre.

Ça ne faisait pas l'affaire d'Adrien-Laszlo.

— Mais… v'ai foif, moi ! a-t-il protesté.

Sa bouche sans dents lui donnait une tête de petit vieux. Je lui ai souri :

— Tu me rappelles mon papi !

— TON PAPI ! Merfi du compliment ! Ve te fignale que ve fuis un vampire *adolefent*, au cas où tu ne l'aurais pas remarqué !

J'ai pouffé de rire :

— Adolescent ? À trois cents ans ?

— Oh ! tu fais, quand on a toute l'éternité devant foi, trois fents v'ans, fe n'est pas bien vieux…

— N'empêche que t'as un dentier…

Ce regard consterné qu'il m'a lancé !

— Mais enfin, voyons, TOUS les vampires ont des ventiers ! s'est-il écrié, sur le ton qu'on emploie pour dire à un enfant : « Mais enfin, voyons, TOUS les chiens aboient ! » ou « TOUS les chats miaulent ! »

D'un coup, je me suis sentie très bête.

— Excuse-moi, je… je n'étais pas au courant. Dans les films d'horreur…

— Fi tu te mets à croire tout fe que racontent les films d'horreur ! a coupé Adrien-Laszlo, agacé.

— Ah bon ? Ce sont des mensonges ?

— Tu parles ! Vamais un metteur en fène ne f'est donné la peine de fe renfeigner fur nous ! Fe qu'ils ne favent pas, ils l'inventent…

Réfléfis un peu, faprifti ! Tu t'imavines peut-être que nos canines pouffent toutes feules, une fois qu'on est morts ?

— Euh…

Je ne m'étais jamais posé la question, en fait.

— Fi on devait perfer le cou de nos victimes avec de pauvres petites quenottes d'humains, ve te dis pas la galère… a-t-il conclu dans un soupir. On mourrait touf de soif !

Au même moment, maman a crié : « À taaaaable ! » J'ai nettement vu le vampire se crisper, et il a émis un nouveau gargouillis.

— Bon, écoute : j'avale mon repas en quatrième vitesse, et je te ramène un truc à grignoter. Ça te va, comme ça ?

— D'accord, mais dépêfe-toi, f'il te plaît !
V'en peux plus !

— Promis. À tout de suite.

Il y avait du chou-fleur au gratin, pour le
dîner. Je ne pouvais décemment pas faire
manger ça à un vampire. Ç'aurait été aussi
absurde que de donner, je ne sais pas, moi, un
hamburger à un mouton ou une tisane de
verveine à un lion affamé. Un aliment contre
nature, quoi !

J'espérais trouver des steaks hachés dans le
frigo, mais même pas. À part quelques
yaourts, une salade verte, un pot de moutarde
et du ketchup, c'était le désert.

J'ai quand même pris le ketchup, des fois
que, et je suis remontée dare-dare dans ma
chambre.

— Enfin ! s'est exclamé Adrien-Laszlo dès
que j'ai ouvert la porte. V'ai cru que tu ne
reviendrais vamais ! Alors, qu'est-fe que tu
m'apportes de bon ?

J'ai tendu ma bouteille d'un air penaud.

— C'est tout ce que j'ai trouvé.

Il me l'a arrachée des mains et s'est mis à boire goulûment… pour recracher aussitôt un grand jet rouge sur la moquette !

— Qu'est-fe que f'est que fe truc immonde ?

— Une sorte de sauce tomate. Comme ça ressemble un peu à du sang, je me suis dit que…

— Tu rigoles ? Fa reffemble autant à du fang que moi à Blanche-Neige !

Dans les effets spéciaux des films d'horreur, en tout cas, c'est ce qu'on utilise !

— Arrête avec tes films d'horreur ! Ve t'ai ccfpliqué que…

Je lui ai montré les taches par terre.

— On n'a pas l'impression que tu viens d'assassiner quelqu'un, peut-être ?

Il a admis, tout en remarquant sentencieusement :

— L'apparenfe est une fove, le goût en est une autre !

— À propos d'apparence… t'as intérêt à nettoyer tes cochonneries avant que maman les voie, parce que sinon, ça va barder !

Adrien-Laszlo n'a pas répondu, il s'est contenté de faire « hein-hein » d'un air absent. Ce qui a clos la discussion.

En fait, il n'y avait pas trente-six solutions : il fallait attendre que le dentier soit sec.

J'ai consulté ma montre.

— Il est neuf heures cinq. À onze heures, c'est bon. Tu peux bien patienter jusque-là, non ? Deux pauvres petites heures, ce n'est tout de même pas la mer à boire !

Adrien-Laszlo m'a lancé un curieux regard.

— La mer à boire… a-t-il répété songeusement, en passant la langue sur ses lèvres. Quel menu apétiffant !

J'ai fait la grimace. Je ne sais pas si vous avez déjà bu la tasse, en mer, mais personnellement, je déteste. Les vampires ont quand même un sens bizarre de la gastronomie !

Je ne me souviens pas à quel moment exact je me suis endormie. Comme d'habitude, je suppose : vers dix heures, dix heures et demie. La dernière vision que j'ai eue avant de sombrer, c'est celle d'Adrien-Laszlo assis devant son dentier, regardant fixement le réveil.

Je rêvais d'une mer grenadine que des milliers d'enfants dégustaient à la paille − ce qui faisait baisser dangereusement le niveau, au grand effroi des baleines et des sous-marins −, quand un cri m'a réveillée.

Un cri horrible.

J'ai jailli du lit. Adrien-Laszlo n'était plus là. Et le cri provenait de la chambre de mes parents.

J'ai foncé et je suis entrée sans frapper, ce qui, d'ordinaire, me vaut une réflexion du genre : « Ne te gêne pas ! » Mais là, c'était un cas de force majeure.

Maman grelottait, cramponnée à sa couette, et papa lui tapotait le dos en répétant :

— Allons… allons…

— Qu'est-ce qui se passe ? j'ai bredouillé.

— Je viens de faire un affreux cauchemar, a répondu maman.

— Ah ? Raconte.

— Un vampire entrait par la fenêtre et voulait me mordre le cou…

— Toi, tu as regardé *Hurlements d'angoisse*, hier soir, à la télé ! l'a grondée gentiment papa.

J'ai pouffé de rire (c'était nerveux !) :

— Je n'aurais jamais cru ça de toi, m'man ! Tu prétends toujours que ce sont des sottises !

— Arrêtez, vous deux ! s'est rebiffée maman. Je n'ai rien regardé du tout !

Elle a passé une main tremblante sur sa gorge.

— Ça paraissait si… réel !

— Ne t'inquiète pas, ma chérie, je suis là ! s'est esclaffé papa en l'embrassant.

Là, j'ai senti que j'étais de trop.

— Bon ben, je retourne me coucher, moi. Bonne nuit ! Et n'oubliez pas de fermer votre fenêtre, on ne sait jamais !

Un double gloussement m'a répondu.

De retour dans ma chambre, j'ai pu constater que : 1) le dentier avait disparu (vu les événements qui avaient précédé, je m'en doutais un peu), 2) Adrien-Laszlo également (je m'en doutais aussi), 3) il n'avait pas net-toyé la moquette avant de partir.

Ça m'a énervée, surtout pour la moquette.

— Demain soir, il va m'entendre ! je me suis dit.

Puis j'ai réalisé soudain qu'il n'avait pas dit « la mer à boire », mais « la *mère* à boire », et mon énervement a encore augmenté.

Parce que là, c'était carrément de la pré-méditation !

— Mordre ma mère, non mais il est pas bien, lui ! Drôle de manière de me remercier ! La prochaine fois, il pourra compter sur moi pour lui rendre service, tiens !

4

ÉTRANGE RENDEZ-VOUS

Le lendemain était un dimanche. Mon premier soin, en me levant, a été de téléphoner à Géo, évidemment !

— Hôtel de la gare, bonjour, a répondu la voix de son père.

— Bonjour, monsieur, je voudrais parler à Géo.

— Il n'est pas là, il passe le week-end chez un copain.

— Ah ? Euh… je pourrais avoir son numéro, s'il vous plaît ?

— Désolé, je ne le connais pas.

— Bon, ben… tant pis. Au revoir, monsieur.

J'étais très déçue, mais je n'avais pas le choix : il fallait que je patiente jusqu'au lundi matin pour le mettre au courant de mon aventure.

— Bah… Comme ça, j'aurai encore plus de choses à lui raconter, je me suis dit pour me consoler.

Et le soir, à l'heure du feuilleton, c'est moi qui ai proposé :

— Tu veux que j'aille chercher du pain, m'man ?

— Il n'y en a plus ?

— Non.

J'en savais quelque chose : je m'étais forcée à le terminer, histoire d'avoir un prétexte pour sortir. Pourtant, il ne restait plus de confiture et je DÉTESTE les tartines de miel !

— Tu as un de ces appétits, toi, en ce moment ! a remarqué ma mère.

Puis, comme je filais vers la porte d'entrée, elle a ajouté :

— Profites-en pour rendre le parapluie à la boulangère !

Je n'ai pas répondu, j'étais déjà dehors.

Je suis arrivée au cimetière hors d'haleine, si bien que j'ai dû attendre d'avoir repris mon souffle avant de crier :

— Adrien-Laszlo ! Adrien-Laszlo !

Comme la veille, il a surgi de la vieille tombe entrouverte.

— Hein ? Quoi ? Qui m'appelle ?

Il est passé près de moi sans me reconnaître, mais je l'ai rattrapé par sa grande cape.

— Viens un peu ici, toi ! On a un petit compte à régler, tous les deux !

Il s'est retourné et m'a montré les dents avec un « arrrgh ! » féroce.

Ça, c'était le comble ! Voilà qu'il me menaçait, maintenant ! Je l'ai secoué comme un prunier.

— Tu essaies de m'intimider, ou quoi ? Tu veux que je te re-casse ton dentier ?

D'un coup, ses dents ont disparu comme par enchantement.

— Excuse-moi, j'étais distrait, a-t-il murmuré, tout penaud. Qu'est-ce que je peux faire pour toi ?

— Premièrement, il y a ma moquette à nettoyer, et je te préviens : quand on ne le fait pas tout de suite, il faut frotter trois fois plus parce que la saleté s'incruste dans les fibres (maman me le répète tout le temps !). Deuxièmement, si tu embêtes encore mes parents, ton dentier, j'en fais des confettis, vu ?

Cette mine penaude qu'il a eue !

— Je m'en occuperai cette nuit, a-t-il soupiré.

— Je l'espère bien ! Parce que, vampire ou pas, quand on a un minimum d'éducation, on laisse les lieux dans l'état où on les trouvés en entrant !

— Ça va, je vais m'en occuper, je te dis. Pense juste à laisser ta fenêtre entrouverte.

C'est ce que j'ai fait. Et vous ne savez pas la meilleure ? Il n'est pas venu. En revanche, moi, j'ai attrapé un rhume. Comme quoi, on ne peut vraiment se fier à personne !

Le lendemain, je suis arrivée en classe avec une demi-heure d'avance. Le portail n'était même pas encore ouvert.

Et, évidemment, Géo, lui, était en retard. Mon père appelle ça *la loi des vexations* : les tartines tombent TOUJOURS côté confiture, on a TOUJOURS un bouton sur le nez avant un rendez-vous, et, quand on a un truc urgent à dire à un copain, il est TOUJOURS en retard. Résultat : j'ai dû attendre la récré avant de pouvoir lui parler…

Comme je ne tenais pas en place, la maîtresse ne m'a pas loupée.

— Sidonie, au lieu de gigoter sur ta chaise, récite-nous donc la table de multiplication de neuf.

— Euh…

— Je te rappelle que c'était la leçon pour aujourd'hui !

Pfff… Comme si j'avais la tête à étudier mes leçons !

J'ai récolté un zéro. Heureusement, au même moment, la cloche annonçant la fin du cours a sonné. Ça compensait un peu.

Je me suis ruée sur Géo et je l'ai entrainé à l'écart pour lui raconter mon histoire. Mais, dès les premiers mots, il a éclaté de rire.

— Un vampire ? N'importe quoi ! Et pourquoi pas le monstre de Frankenstein, tant que tu y es ?

— Je te jure que c'est vrai !

— Tu me prends pour un idiot ?

— Si tu veux la preuve, viens au cimetière ce soir ! Je te présenterai Adrien-Laszlo.

On s'est quittés fâchés, et pendant le reste de la journée je me suis demandé s'il viendrait ou non. Parce que, en vérité, c'était mon premier rendez-vous avec un garçon. Et comme ça, au cimetière, j'avais fait fort, je trouve !

5

PRINCE CHARMANT, POIL AUX DENTS !

Avant même de franchir la grille, je l'ai aperçu. Il faisait les cent pas dans l'allée centrale. Mon cœur s'est mis à battre follement dans ma poitrine.

Et moi qui avais peur qu'il me pose un lapin…

— Géo !

En m'entendant, il s'est précipité vers moi :

— Ah ! enfin ! J'ai cru que tu ne viendrais jamais !

Les battements de mon cœur se sont encore accélérés.

— Tu étais si impatient de me voir ?

— Tu parles ! J'allais m'en aller : dans dix minutes, mon feuilleton préféré commence !

Ah ! d'accord, je me disais aussi...

— Alors, ce vampire ? a-t-il ajouté avec un ricanement incrédule.

— Attends, je l'appelle. Adrien-Laszlo ! Adrien-Laszlooooo !!!

Pas de réponse.

— Adrien-Laszlo, c'est moi, Sidonie ! Viens, je voudrais te présenter quelqu'un !

Rien. Pas un bruit, pas un souffle. Pas la moindre ombre derrière la fente de la vieille tombe. Je me sentais aussi ridicule que lorsqu'on va chez le docteur pour un mal de ventre et que la douleur s'arrête dès qu'on franchit le seuil de la salle d'attente.

J'ai pris ma voix la plus enjôleuse :

— Adrien-Laszlo, montre-toi, quoi ! Pour me faire plaisir !

— Bon, ça suffit, ce cirque ! s'est énervé Géo. La prochaine fois, si tu ne veux pas te couvrir de ridicule, invente un truc un peu moins nul pour attirer l'attention des garçons !

J'ai reçu sa remarque en pleine figure, comme une gifle. Non mais pour qui il se prenait, sans blague ?

— J'ai rien inventé du tout ! C'est la vérité, tu entends ? La vé-ri-té !

Il a émis un petit rire agaçant.

— Tu veux un conseil ? Si tu comptes m'embobiner avec tes histoires à dormir debout, ce n'est pas la peine : je ne suis plus libre.

Cette fois, ce n'était pas une gifle, mais un coup de poing qu'il m'assénait. Un direct au menton qui m'a mise K.-O.

Le temps que je reprenne mes esprits, il s'éloignait déjà à grandes enjambées. J'ai couru à ses trousses :

— T'as une copine ?

— Ouais.

— Qui c'est ?

— Une princesse, m'a-t-il lancé par-dessus son épaule, avant de disparaître dans la nuit.

J'étais furibonde. J'ai crié à Adrien-Laszlo que ça, il allait me le payer, et que son dentier, il avait intérêt à s'y cramponner, sinon… ! Puis je suis rentrée chez moi, tête basse. Jamais de toute ma vie je n'avais subi pareille humiliation.

Quant à ce frimeur de Géo, s'il s'imaginait que j'allais gober son histoire de princesse, il se fourrait le doigt dans l'œil jusqu'au coude !

Je ne vous dis pas ma surprise, le lendemain, en passant devant le kiosque à journaux qui se trouve sur le chemin de l'école !

L'information s'étalait en grand sur la couverture de *Midi-Matin* :

LA PRINCESSE ZÉPHYRA,
FUTURE HÉRITIÈRE
DE LA COURONNE D'ORGANDIE,
VISITE NOTRE RÉGION.

Je me suis arrêtée pile. Sous l'article, il y avait une photo qui m'a coupé le souffle. On y voyait une fille en robe de bal, avec un diadème dans ses longs cheveux bouclés, et à côté d'elle… Géo, souriant stupidement. La légende précisait :

À l'hôtel de la gare où elle s'est installée avec sa suite, la princesse a trouvé un charmant compagnon de son âge. Serait-ce le début d'une idylle ?

Mais alors, le mensonge de Géo… C'était vrai ?

J'ai continué ma route comme une somnambule avec, imprimé dans ma tête, le visage prétentieux de cette Zéphyra (dont je n'avais jamais entendu parler auparavant) et l'horrible petite phrase du journaliste : « Serait-ce le début d'une idylle ? »

Je n'ai pensé qu'à ça toute la journée. D'autant que je n'étais pas la seule à avoir lu l'article. En classe, Géo était subitement devenu une grosse vedette. On ne le surnommait plus que « le prince charmant ». Virginie, qui ne l'avait même jamais regardé (elle ne supporte pas les petits blonds à lunettes), ne le quittait plus d'une semelle.

— Tu m'inviteras chez toi, dis ? répétait-elle sur tous les tons. J'adooorerais fréquenter une princesse !

Quant à Mélissa, Violette et Carmen, elles papillonnaient autour de lui comme les groupies d'un chanteur de rock. É-cœu-rant !

Et le pire de tout…

Le pire de tout, c'est que, malgré ça, j'étais de plus en plus amoureuse de lui !

Amoureuse d'un « prince charmant », moi ? Pfff… N'importe quoi ! Et pourtant… J'avais beau me moquer de lui et répéter à qui voulait l'entendre « Prince charmant, poil aux dents ! », mon pauvre petit cœur saignait dans ma poitrine…

6

ADRIEN-LASZLO
À LA RESCOUSSE !

L'idée m'est venue la nuit suivante, après des heures et des heures à ruminer dans le noir. Une sorte d'illumination. Ce casse-pieds d'Adrien-Laszlo allait enfin servir à quelque chose !

Je me suis levée sans bruit, j'ai entrouvert ma porte, et j'ai écouté les bruits du couloir en retenant ma respiration. De la chambre de mes parents s'échappait un double ronflement. La voie était libre. Ni une ni deux, je suis descendue au rez-de-chaussée, j'ai enfilé

mon anorak par-dessus mon pyjama, et je suis sortie sur la pointe des pieds.

La pleine lune brillait dans le ciel glacé. Quelque part, au loin, une chouette a hululé. On se serait cru dans un film d'épouvante, sauf que, cette fois, l'héroïne ne craignait pas les vampires, mais avait, au contraire, un service à leur demander. Un service TERRIBLE !

Le cimetière était désert. L'ombre des croix, projetée sur le chemin par le rayon de lune, semblait immense. Un petit vent froid balayait les tombes et agitait les feuilles des arbres, créant comme un chuchotement lugubre dans le silence. Question ambiance, j'étais servie !

— Adrien-Laszlo ! Adrien-Laszlooo !

Pas de réponse, évidemment. Ce satané vampire me fuyait comme la peste : il devait avoir la trouille que je l'enguirlande.

« Changeons de tactique ! », je me suis dit. Et j'ai crié :

— T'inquiète pas pour la moquette, je l'ai nettoyée moi-même !

J'ai tendu l'oreille. Toujours rien. Alors, j'ai joué le tout pour le tout :

— Tu aimes le sang de princesse ? Parce que, si c'est le cas, j'ai un bon plan pour toi !

Gagné ! Instantanément, une ombre ailée a jailli je ne sais d'où.

— Du sang de princesse ? C'est mon menu préféré ! Il y a au moins un siècle que je n'y ai pas goûté !

— Eh bien, je sais où tu peux en trouver.

— Où ça ?

— À l'hôtel de la gare : le grand bâtiment derrière la mairie, qui…

Il ne m'a pas laissé le temps de terminer. Ses ailes ont battu l'air avec un *flappy-flappa* de linge agité par le vent, et l'instant d'après il n'était plus qu'une forme minuscule, se détachant en noir sur le grand rond pâle de la lune.

« Et voilà, il ne me reste plus qu'à attendre… », je me suis dit, en reprenant lentement le chemin de la maison.

J'imaginais déjà les titres des journaux, le lendemain matin :

TRAGÉDIE À L'HÔTEL
DE LA GARE

La princesse Zéphyra, victime d'un féroce vampire, rentre dare-dare soigner ses morsures en Organdie.

« Son départ est pour moi comme une libération, nous dit le jeune Géo, visiblement soulagé. Zéphyra m'avait, en quelque sorte, ensorcelé, me détournant de

celle que j'aime vraiment. Maintenant,
ma vie peut reprendre son cours. »

J'ai regagné mon lit, toute guillerette. Mais impossible de trouver le sommeil. Les articles imaginaires continuaient à défiler dans ma tête :

La police soupçonne une certaine Sidonie, élève de CE2 dans le même établissement scolaire que le jeune Géo, d'avoir eu recours aux services d'un vampire pour se débarrasser de sa rivale. La suspecte a été arrêtée. Elle est actuellement interrogée au commis- sariat. Elle risque jusqu'à dix ans de prison, et le double si sa victime venait à décéder des suites de ses blessures.

Je me suis assise d'un bond, trempée de sueur et l'estomac noué. Je n'avais pas prévu ça, moi !

L'état de santé de la princesse Zéphyra cause de graves inquiétudes à son entourage : les médecins craignent le pire.

Houlà !

En dépit des soins qui lui sont prodigués, la princesse Zéphyra décline d'une façon alarmante.

Aïe, aïe, aïe !

La princesse Zéphyra est morte. Son père, le roi Athanor III, persuadé que sa fille a été victime d'un complot, mobilise son armée. "Si les auteurs de ce crime odieux ne sont pas châtiés comme ils le méritent, l'Organdie déclarera la guerre à la France !", a-t-il annoncé. Le président de la République, dans une allocution télévisée, s'est publiquement excusé et a promis de tout mettre en œuvre pour que justice soit faite.

J'ai réenfilé dare-dare mon anorak, et je suis repartie comme une flèche.

Pourvu que j'arrive à temps pour empêcher le pire !

Parole d'honneur, malgré le point de côté qui me sciait les côtes, j'ai battu tous mes records de course à pied !

La façade de l'hôtel luisait doucement, éclairée par son enseigne au néon. Pas un bruit, pas un mouvement. Rien ne laissait supposer qu'un drame puisse se tramer derrière ces murs calmes et ces volets mi-clos.

Ça m'a redonné espoir.

« Peut-être Adrien-Laszlo n'a-t-il pas trouvé l'adresse ? Ou alors, il n'a pas pu entrer ? Ou les gardes du corps de Zéphyra l'ont chassé ? Ou… »

J'allais m'en aller, à peu près rassurée, quand un *flappy-flappa* caractéristique m'a fait lever les yeux. Le vampire tournoyait à la hauteur de la corniche. Il m'a adressé un sourire victorieux :

— Mission accomplie ! Et merci pour le tuyau : je me suis régalé ! C'était une princesse de tout premier choix !

Puis, en trois coups d'ailes, il s'est éloigné, et il n'y a plus eu, dans la rue déserte, qu'un silence de mort.

7

Un baiser de cinéma

J'ai passé le reste de la nuit à pleurer sous ma couette. J'aurais donné n'importe quoi pour pouvoir repartir en arrière et changer le passé.

« Si c'était à refaire, jamais je ne recommencerais, je me disais. Qu'est-ce qui m'a pris de livrer une pauvre innocente à ce monstre ? Je suis une criminelle ! »

Au petit déjeuner, j'avais une de ces têtes ! À croire que c'était moi que le vampire avait mordue, sans blague !

— Que se passe-t-il, ma chérie ? s'est inquiétée maman. Tu es toute pâle !

— Euh… je… J'ai mal dormi…

— Tu n'es pas malade, au moins ?

— Non, non, juste un peu fatiguée.

Malgré mes guiboles flageolantes, j'ai couru jusqu'au kiosque. Mais aucun journal ne parlait de l'affaire.

« C'est encore trop tôt, ai-je raisonné. La princesse fait sûrement la grasse matinée. Sa femme de chambre ne découvrira le pot aux roses que dans une heure ou deux, en lui apportant son petit déjeuner au lit, et la télé annoncera la nouvelle aux informations de treize heures. »

Afin d'en avoir le cœur net, à peine dans la cour, j'ai cherché Géo. Il discutait avec Ahmed sous le préau et ne semblait pas du tout catastrophé.

De loin, je lui ai lancé :

— Comment va ta princesse ?

— Très bien, pourquoi ?

— Pour rien… Tu l'as vue, ce matin ?

— Oui, elle cherchait de la crème contre les piqûres de moustique. On en avait encore un tube de l'année dernière. Quand je le lui ai porté, elle m'a fait la bise !

J'ai avalé ma salive avec un « gloups » discret, partagée entre le soulagement et la jalousie.

— Il l'a piquée où, ce moustique ?

Géo a pouffé de rire.

— Comment veux-tu que je le sache ?

Puis, après une courte réflexion, il a ajouté :

— Dans le cou, je suppose. Elle n'arrêtait pas de se gratter.

C'est là que, brusquement, j'ai réalisé : ces fichus films d'horreur avaient, une fois de plus, raconté n'importe quoi. À tous les coups, les VRAIES morsures des VRAIS vampires n'étaient-elles pas meurtrières et sanglantes comme ils le prétendaient, mais aussi discrètes et inoffensives que des piqûres d'insectes !

Brusquement, je me suis sentie mieux. Si je m'étais écoutée, j'aurais embrassé Géo !

Toute la journée, j'ai somnolé sur ma table, ce qui m'a valu une remarque en maths, une mauvaise note en français et un zéro en géographie. Mais je m'en fichais complètement. Ne pas être une criminelle me remplissait de paix et de sérénité. À côté de l'angoisse que j'avais ressentie cette nuit, même le pire des bulletins, c'était du pipi de chat !

Qu'est-ce qui m'a poussée, le soir venu, à vouloir revoir Adrien-Laszlo ? L'envie de le remercier, peut-être ? Ou de lui avouer à quel point je l'avais mal jugé ? Ou le besoin qu'il me confirme que Zéphyra était effectivement en bonne santé ? Je ne pourrais pas le dire exactement. Toujours est-il que, vers huit heures, je suis allée, comme d'habitude, chercher du pain.

À peine étais-je entrée dans le cimetière qu'Adrien-Laszlo a rappliqué :

— Saaalut, Sidonie !

— Salut ! Dis donc, j'aimerais que tu m'expliques une chose : c'est comment, une morsure de vampire ?

— Deux petits trous là, juste sous l'oreille.

— Genre piqûre de moustique ?

— Mouais.

— Ça ne fait pas mal, alors ?

— Pas du tout : c'est même très agréable !

— Ah bon ? Alors, pourquoi est-ce qu'on a peur de vous ?

Adrien-Laszlo a éclaté de rire.

— Parce que les humains sont des imbéciles, tiens ! Du moins, ceux qui n'ont jamais eu affaire à nous !

— Et les autres ?

— Ben… ils se transforment à leur tour en vampires, et, grâce à ça, ils deviennent plus intelligents.

J'ai fait un bond.

— Quoi ? Tu veux dire que vos morsures sont *contagieuses* ? Zéphyra est devenue un… un vampire ?

Cet air qu'il a pris ! Le même que pour l'histoire du dentier ! Mon ignorance en matière de vampire le consternait visiblement.

— Mais non, voyons, pas encore ! Pas du premier coup ! La métamorphose ne se produit qu'au bout de la troisième ou quatrième f…

— Ah, parce que… *tu comptes recommencer* ?

— Évidemment ! Pour une fois que je trouve une princesse à mon goût, je ne vais pas la laisser à moitié terminée ! Ce serait du gâchis !

Le terrifiant scénario, qu'on retrouve dans tous les films de ce genre, m'est revenu en mémoire avec une précision fulgurante. Dans ce cas particulier, les cinéastes ne s'étaient pas trompés : les vampires se nourrissaient bien du sang de leurs victimes jusqu'à ce qu'elles soient complètement vides. Après, ces dernières cherchaient des proies pour se re-remplir, et ainsi de suite.

Je ne voulais pas devenir complice d'une telle abomination !

— Non ! j'ai crié en serrant les poings.

Adrien-Laszlo a ouvert de grands yeux.

— Non quoi ?

— Non, tu ne transformeras pas la princesse en vampire, je te l'interdis !

— Ben v'là autre chose ! Et de quel droit m'interdirais-tu quoi que ce soit, mademoiselle Sidonie ?

— Du droit que, si tu le fais, je casse ton dentier !

Prudemment, Adrien-Laszlo s'est envolé hors de ma portée.

— Pour ça, ma vieille, il faudrait d'abord m'attraper !

Et, *flappy-flappa*, il s'est éloigné à tire-d'aile en direction du centre-ville.

Sans hésiter, je me suis élancée à sa poursuite. Si je ne parvenais pas à l'empêcher de nuire, il fallait au moins que je prévienne la princesse du danger qui la menaçait !

Je vous entends d'ici : pas très logique, la petite Sidonie ! Après avoir tout fait pour se débarrasser de Zéphyra, la voilà qui se précipite à son secours. Que voulez-vous, entre-temps, j'avais réfléchi. Et quand on réfléchit, on évite de faire des bêtises !

Dommage que, dans mon cas, cette réflexion arrive un peu trop tard. Parce que, j'avais beau courir à toute vitesse, Adrien-Laszlo était plus rapide que moi. La preuve : quand je suis parvenue à l'hôtel de la Gare, il y était déjà.

C'est alors que, de loin, j'ai été témoin d'une chose ahurissante. Je l'ai vu toquer à une fenêtre, tout en haut du bâtiment. Le battant s'est ouvert et la princesse est apparue, toute blonde et rose, avec son diadème et ses cheveux bouclés qui luisaient sous la lune. Elle lui a tendu les bras et, dans la nuit, ils se sont embrassés.

J'en suis restée médusée trente secondes, puis, retrouvant mon sang-froid, je me suis mise à crier :

— Arrêtez, princesse ! Ce type est un tueur ! Votre vie est en danger !

Le baiser s'est interrompu, et Zéphyra a baissé les yeux vers moi.

— Qui t'es, toi ? a-t-elle lâché, glaciale. Un de ces journalistes qui me suivent partout ?

— Mais non ! a répondu Adrien-Laszlo à ma place. C'est une copine. Un peu zinzin, mais très gentille.

— Dis-lui de s'en aller ou je lui envoie mes gardes du corps !

Ça, c'était la meilleure ! Je me décarcassais pour la défendre, cette crétine de princesse, et elle, elle me chassait !

Du bout des lèvres, je lui ai lancé :

— D'accord, je m'en vais, mais je vous préviens : si vous vous retrouvez transformée en vampire, ce ne sera pas la peine de venir pleurer sur mon épaule ! C'est moi qui vous enverrai promener, et je rigolerai bien !

— C'est ça, c'est ça…, a grogné Zéphyra en re-tendant ses lèvres au vampire. En attendant, lâche-nous, tu veux ? Tu nous déranges…

Qu'auriez-vous fait à ma place ? Je les ai lâchés. On ne peut quand même pas sauver les gens contre leur gré !

En plus, ils avaient l'air tellement amoureux !

« Les princesses ont tout de même de drôles de goûts, parfois ! je me disais, en remontant les rues désertes jusque chez moi. Préférer un vampire édenté à un mignon petit blond à lunettes ! »

N'empêche, j'avais hâte de raconter cette histoire à Géo. Voilà qui risquait de le dégoûter de Zéphyra une fois pour toutes !

S'il me croyait, évidemment…
Et ça, rien n'était moins sûr !

8

MERCI QUI ?

Le lendemain, sur le chemin de l'école, comme je cherchais toujours les mots pour convaincre Géo, sur quoi je tombe ? Une photo hallucinante, en première page de *Midi-Matin*.

La surprise m'a figée sur place.

— Ça alors !

Zéphyra avait bien raison de se méfier des journalistes, parce que l'un d'eux avait surpris sa romance nocturne. On pouvait la voir en gros plan, embrassant Adrien-

Laszlo. Et, en dessous, ce commentaire ironique :

> *L'héritière du trône d'Organdie serait-elle une vamp pire ?*

J'ai aussitôt acheté le journal pour aller le brandir sous le nez de Géo.

Je m'attendais à lui briser le cœur (pour mieux recoller les morceaux après, bien sûr !), mais je me trompais. Il n'a même pas versé une larme. Tout ce qu'il a trouvé à dire, c'est :

— Je suis bien content pour eux !

— Ah bon ? Tu n'es pas jaloux ?

— Moi, jaloux ? Pourquoi ?

— Ben… je pensais que tu aimais la princesse…

Derrière ses lunettes, Géo m'a alors lancé un drôle de regard.

— Moi, aimer cette pimbêche qui ne s'intéresse qu'aux types bizarres et regarde les gens normaux de haut ? Pour qui me prends-tu ?

— Mais c'est toi-même qui m'avais dit…

— C'était juste pour te faire bisquer, voyons ! Tu m'énervais tellement, avec ton vampire !

— Pourquoi ?

— Ça se voyait comme le nez au milieu de la figure que t'en étais folle !

J'ai failli tomber à la renverse.

— MOI ? Folle de ce crétin ?

— Ne prétends pas le contraire : il suffisait de t'entendre l'appeler pour comprendre tout de suite ! *« Adrien Laszlooo ! Sois gentil, fais-moi plaisiiir ! »*

Son imitation était très vexante. J'ouvrais la bouche pour le remettre vertement à sa place quand l'évidence m'a sauté aux yeux : Géo était jaloux, mais pas de Zéphyra, DE MOI !

— Tu… tu… j'ai bredouillé.

Il m'a comprise à demi-mot.

— Ben oui, je… je…, a-t-il avoué à voix basse.

Et ça, pas de doute, ça signifiait « je t'aime » !

— Le… le vampire, tu y croyais, alors ? j'ai murmuré, le souffle court.

Il a hoché la tête, les yeux fixés sur la photo, puis m'a demandé très doucement :

— Tu n'es pas trop triste ?

Au lieu de répondre, je lui ai sauté au cou. C'était plus simple que de se lancer dans de longues explications.

Je n'ai plus jamais revu Adrien-Laszlo. Il a dû partir avec la princesse, qui, le jour même, a regagné son pays. Sans les coupures de journaux – que j'ai gardées précieusement –, et la vilaine tache rouge qui macule ma moquette, j'aurais presque l'impression d'avoir rêvé.

Si jamais tu lis ces lignes, mon vieux copain vampire, sache quand même que je garde toujours un tube de colle à ta disposition, au cas où. Quoique… tu dois avoir les moyens de t'offrir un bon dentiste, maintenant que tu fréquentes une princesse !

Finalement, tout ça, c'est à moi que tu le dois !

Merci qui ?

Merci Sidonie !

LES VAMPIRES SONT TES AMIS

Oui, les vampires ne demandent qu'à t'aider si tu as des ennuis.

Qui dois-tu appeler au secours, si quelqu'un :

— *menace de te casser la figure ?*

— *veut t'arracher une dent ?*

— *dit du mal de toi ?*

— *t'aboie dessus en montrant les crocs ?*

— *te met un zéro en dictée ?*

— *t'empêche de jouer au foot sur l'aire de jeu des tout-petits ?*

— *copie sur toi pendant les cours ?*

— *gagne toutes les parties ?*

— *termine le pot de confiture de mirabelles sans t'en laisser ?*

Pour le savoir, tourne la page !

Chacun des membres de la famille d'Adrien-Laszlo a sa spécialité...

Le père, Félicien-Arthur,
ne mord que les dentistes.

La mère, Claire-Léontine,
ne mord que les institutrices.

Le frère, Armand-Gonzague,
ne mord que ceux qui trichent en classe.

La sœur, Éléonore-Pupuce,
ne mord que les ragoteuses.

La tante, Josiane-Zéphyrine,
ne mord que les gens brutaux.

L'oncle, Sosthène-Joseph,
ne mord que les gardiens de square.

Le grand-père, César-Philharmonique,
ne mord que les champions de petits chevaux.

La grand-mère, Agatha-Flapaga,
ne mord que les voleurs de confitures.

Le chien, Kiki-Mirza,
ne mord que les chiens méchants.

Alors… as-tu trouvé ton sauveur ?

Gudule vue par Jacques Azam.

QUELQUES LIVRES DE GUDULE

Profession vampire, Archipoche, 2007.

Valentin Letendre, amour, magie et sorcellerie, Plon, 2006.

Les Zaripoteuses, Lito, 2006.

La Bibliothécaire, Hachette, 2001.

J'ai quatorze ans et je suis détestable, Flammarion, 2000.

J'irai dormir au fond du puits, Grasset, 1999.

La Fille au chien noir, Hachette, 1998.

Ne vous disputez jamais avec un spectre, Hachette, 1997.

L'Envers du décor, Hachette, 1996.

Jacques Delval

LA LYRE MYSTÉRIEUSE

AVENTURE

archi
A
poche
JEUNESSE

Roger Judenne

GRAND-MÈRE EST UN GANGSTER

AVENTURE

archi
A
poche
JEUNESSE

Arthur Tenor

LA NUIT DES AVALEURS D'OMBRES

AVENTURE

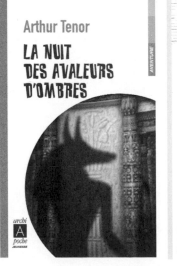

archi
A
poche
JEUNESSE

Yak Rivais

Le jardin ZOZOOlogique

HUMOUR

archi
A
poche
JEUNESSE

ARCHIPOCHE JEUNESSE
Collection dirigée par Yak Rivais

*Cet ouvrage a été composé
par Atlant'Communication
aux Sables-d'Olonne (Vendée).*

*Impression réalisée par Maury
en mai 2008
pour le compte des Éditions Archipoche.*

Imprimé en France
N° d'édition : 11 - N° d'impression : 137854
Dépôt légal : juin 2008